DIETA NOTA 10

Do Autor:

Dieta Nota 10
Cardápios Nota 10

Dr. Guilherme de Azevedo Ribeiro

DIETA NOTA 10

**Comer e emagrecer
é mais simples do que se imagina**

37ª edição

Copyright © 2004, Guilherme de Azevedo Ribeiro

Projeto gráfico de miolo e capa: Bonde Zaine, Betina Cupello e Renata Monteiro
Fotos de capa e do autor: Fernando Torquatto

Editoração: DFL

2013
Impresso no Brasil
Printed in Brazil

CIP-Brasil. Catalogação na fonte
Sindicato Nacional dos Editores de Livros – RJ

R369d 37ª ed.	Ribeiro, Guilherme de Azevedo Dieta nota 10: comer e emagrecer é mais simples do que se imagina / Guilherme de Azevedo Ribeiro. – 37ª ed. – Rio de Janeiro: Bertrand Brasil, 2013. 98p. ISBN 978-85-286-1151-9 1. Dieta de emagrecimento. 2. Hábitos alimentares. I. Título. CDD – 613.25 CDU – 613.24
05-3059	

Todos os direitos reservados pela:
EDITORA BERTRAND BRASIL LTDA.
Rua Argentina, 171 – 2º andar – São Cristóvão
20921-380 – Rio de Janeiro – RJ
Tel.: (0xx21) 2585-2070 – Fax: (0xx21) 2585-2087

Não é permitida a reprodução total ou parcial desta obra, por quaisquer meios, sem a prévia autorização por escrito da Editora.

Atendimento e venda direta ao leitor
mdireto@record.com.br ou (0xx21) 2585-2002

SUMÁRIO

PREFÁCIO
9

DESCOBRINDO O CAMINHO DAS PEDRAS
13

DESTINO?
17

A FORÇA DO TALENTO
23

OS GORDOS E SUAS DÚVIDAS EXISTENCIAIS
31

É TUDO MENTIRA...
39

REMÉDIOS PARA EMAGRECER: O PERIGO MORA AO LADO
47

LOBO EM PELE DE CORDEIRO
53

ENFIM, A DIETA NOTA 10!
59

VOCÊ PENSA QUE É FÁCIL?
71

NÃO ESTICA QUE ARREBENTA
77

TABELA DE NOTAS
85

Esta verdade é científica:
os magros ou comem pouco
ou gastam energia demais.

PREFÁCIO

Afirmo por experiência própria, fiz todas as dietas do mundo. Mas, pela primeira vez, consegui emagrecer — e manter o peso — comendo e bebendo de tudo. As verduras, frutas e legumes de praxe e, para alegrar a vida, doces, sanduíches e batata frita. Além do chope, claro. Afinal, ninguém mora no Rio impunemente.

Milagre? Não. Apenas efeito da inteligente Dieta das Notas, regime inventado por nutricionistas norte-americanos. O médico paulista Alfredo Halpern adaptou-a aos padrões brasileiros, e o endocrinologista carioca Guilherme de Azevedo Ribeiro armou o pulo-do-gato, eliminando o número de alimentos pontuados. A intenção do doutor Guilherme é ensinar as pessoas a raciocinarem diante da comida.

Eu aprendi, emagreci e continuo mantendo o peso. Hoje, já nem preciso consultar a minha tabela de bolso. Só de olhar, calculo direitinho quanto vale cada refeição, cada gulodice. E negocio comigo mesma. Às vezes, decido comer coisas caríssimas — por exemplo: um bolo de chocolate com creme chantilly. Compenso na refeição seguinte, ingerindo alimentos *grátis* e a cota de proteínas, que custa apenas 50 notas. Ou substituo a refeição por um cachorro-quente com refrigerante diet (à vontade), que, por incrível que pareça, custa baratinho Tudo depende da minha vontade.

Essa liberdade de quando, a que horas e o que eu quero comer — aliada à certeza de que tudo me é permitido, depende de como vou me administrar — permitiu-me emagrecer e continuar magra, sentindo-me saudável, bem-disposta e de ótimo humor.

Fazer a Dieta Nota 10 é simples e não provoca "síndrome de abstinência". Emagrece sem sacrifícios (demasiados, é claro). Eu, como bombom, tomo cerveja e cometo outras heresias que caracterizavam os antigos regimes. Em seis meses perdi 15 quilos, sem abrir mão de nada. Nem de brigadeiro e pão francês. Ah, meu Deus, quando me lembro de que passei a vida atrelada ao chuchu cozido e discutindo com a balança...

Enfim, quem quiser se livrar dos quilos extras trate de ler este livro. Nele, está incluída a tabela que faz — e mantém — a beleza de muita gente, inclusive das atrizes Carolina Dieckmann e Daniela Escobar, além de outras famosas. Carolina e Daniela, porém, têm uma vivência comum. Ambas, embora estivessem com o peso normal, precisaram perder muitos quilos para criar personagens. Nas páginas 26-29, elas contam como ficaram macérrimas, mantendo o pique para enfrentar horas seguidas de gravação.

Dieta Nota 10, comer e emagrecer é mais simples do que se imagina é gostoso de ler. A dieta, saborosa de se fazer. Para incentivar aqueles que se dispõem a alcançar o manequim ideal, o doutor Guilherme de Azevedo Ribeiro acrescentou ao livro uma agenda com o valor dos alimentos básicos, além de um truque simpático que ajudará os estreantes a, apenas uma vez por dia, registrarem quantas notas gastaram.

E como nem só de vale-quanto-pesa é feita a vida, este livro oferece curiosidades simpáticas:

> VOCÊ SABIA QUE PARA LER ESTAS PÁGINAS GASTOU QUASE **DUAS CALORIAS**?
> UMA TANGERINA GRANDE TEM **50 CALORIAS**.
> UMA TANGERINA "CUSTA" MENOS **NOTAS** DO QUE VOCÊ IMAGINA

Emagrecer com a Dieta Nota 10 do doutor Guilherme de Azevedo Ribeiro é simples: basta aprender a transformar calorias em notas. Uma operação facílima, que a tabela contida neste livro facilita ainda mais. Palavra de uma definitiva ex-gorda.

Angela Dutra de Menezes

DESCOBRINDO O CAMINHO DAS PEDRAS

POSSO COMER UM BOMBOM SEM SAIR DA DIETA?

Pode. Com açúcar, nougat (Nutella), nozes e a tudo que você achar que tem direito. Sem complexo de culpa.

Pense bem: se você comer um bombom por dia, vai engordar? E se comer cinco? Ou 10?

Comer e emagrecer é uma questão já resolvida pela ciência da nutrição. Você pode comer seu bombom diário e, ao mesmo tempo, emagrecer.

> UM BOMBOM TEM **140 CALORIAS**.
> CADA 10 MINUTOS NO CHUVEIRO, MENOS **20 CALORIAS**.
> QUANTAS **NOTAS** "CUSTARÁ" UM BOMBOM?

Aliás, quem pretende fazer um bom regime de emagrecimento tem que se preocupar com a balança, com a nutrição do corpo e também com a qualidade de vida.

Você pode e deve emagrecer sem abrir mão do que lhe dá prazer. Pode continuar bebendo seu chopinho. Pode não dispensar a santa farofinha de cada dia. Pode manter o feijãozinho com arroz. Também pode comer batata, pão e queijos. Ah, ia me esquecendo: macarrão, strogonoff e vatapá também já estão no cardápio de quem quer emagrecer.

Na verdade, você pode comer de tudo e perder os quilos que deseja. Porque emagrecer é simples, apesar de não ser fácil. Emagrecer, e se manter no peso ideal, exige mudar os hábitos alimentares. E, até que os novos hábitos se transformem em nova rotina, a disciplina é fundamental.

Por isto é que costumo dizer: emagrecer é simples. Existe um método científico para eliminar o peso extra. Mas mudar os hábitos alimentares é complicado, pois, na maioria das vezes, trazemos estes hábitos da infância. Reeducar-se diante dos alimentos, usá-los na quantidade necessária, sem excessivos abusos ou restrições, é o x do problema. Para isso é necessário força de vontade.

Você tem que acreditar que pode, sim, modificar seus vícios alimentares. Se, durante alguns meses, você controlar cada coisa que comer, quando se der conta terá perdido muitos quilos e mudado, para sempre, as atitudes erradas que aumentavam o seu peso, prejudicando-lhe a saúde.

> NINGUÉM GASTA 10 MINUTOS CALÇANDO SAPATOS,
> MAS, SE VOCÊ É ORIGINAL A ESSE PONTO, PERDERÁ **16 CALORIAS**.
> UM BISCOITO DE ÁGUA E SAL TEM **30 CALORIAS**.
> QUANTO "CUSTA" UM BISCOITO A GENTE VÊ DEPOIS

DESTINO?

Por que nasci gordo?, perguntam muitos de meus clientes. Sempre respondo que a gordura não se relaciona à fatalidade. Quando se trata de quilos extras, só em casos especialíssimos o destino é o vilão da história.

Sou médico endocrinologista há 20 anos. Apesar da minha experiência ajudando as pessoas a perderem peso sem perder a saúde, até hoje aprendo o quanto é delicada a arte de emagrecer — e conseguir se manter magro.

Minha vivência clínica ensinou-me que os gordos não nascem gordos. São gordos por comer em demasia, ingerindo mais energia do que conseguem queimar. É uma questão matemática: se você ingere mais energia do que gasta, seu metabolismo (conjunto de reações orgânicas que mantém o corpo funcionando) transforma o excesso em gordura. Para eliminar a gordura, o corpo em desequilíbrio nos aponta o caminho certo: diminuir a ingestão de energia e aumentar sua combustão. Resumindo: comer menos (ou melhor) e movimentar-se mais.

> SE VOCÊ FIZER COMPRAS EM UM SUPERMERCADO DURANTE 10 MINUTOS, GASTARÁ **24 CALORIAS**.
> O MESMO TEMPO DIRIGINDO NO TRÂNSITO SIGNIFICA MENOS **22 CALORIAS**.
> A MAIORIA DOS LEGUMES E VERDURAS, NA QUANTIDADE QUE VOCÊ DESEJAR, TEMPERADA COM UMA COLHER DE MAIONESE LIGHT "CUSTA" SOMENTE **25 NOTAS**

Hoje fazer dieta não significa, como há 30 anos, adotar um regime de faquir. Sai refeição, entra refeição e você é obrigado a engolir três folhas de alface e um peito de frango grelhado, sem gosto, sem cor, sem tempero. Fazer exercícios também deixou de ser sacrifício. Há coisas divertidíssimas que ajudam a queimar calorias.

> FAZENDO SEXO CALMAMENTE,
> EM 10 MINUTOS VOCÊ PERDE **22 CALORIAS**.
> MAS, SE A PAIXÃO FOR INTENSA,
> A CADA 10 MINUTOS LÁ SE VÃO **48 CALORIAS**

Ah, então essa dieta é ótima... E é mesmo. Mas é importante alertar que apenas se exercitar não emagrece ninguém. Exercitar-se é bom por melhorar a saúde e potencializar os efeitos da dieta. Mas o que realmente emagrece é a alimentação racional. Faça as contas. Uma semana tem 168 horas. Exercitando-se duas horas, cinco dias por semana, você gastará apenas 10 horas. Isto não chega a fazer diferença para quem deseja perder peso. No entanto, se você fizer dieta e exercícios simultaneamente, o emagrecimento é mais rápido e menos estressante. E a sua saúde melhora, claro.

EXERCITAR-SE FAZ BEM À SAÚDE,
MAS O QUE EMAGRECE
É COMER COM EQUILÍBRIO

As dietas modernas — a Nota 10 mais do que todas — oferecem um leque de alimentos variados e saborosos, permitindo até que as pessoas freqüentem restaurantes e escolham seu prato diretamente do menu. Bem, no início você terá que consultar sua estratégica tabelinha. Depois, decora quanto "custa" cada alimento e gasta apenas a "quantia" que pode. Aí, ninguém o segura mais.

> DANÇANDO 10 MINUTOS, VOCÊ QUEIMA:
> BALÉ: **80 CALORIAS**
> DISCO: ENTRE **32** E **67 CALORIAS**
> JAZZ: **80 CALORIAS**
> RUMBA: **66 CALORIAS**

> SALSA: **66 CALORIAS**
> SAMBA: **66 CALORIAS**
> TANGO: **56 CALORIAS**
> E AINDA SE DIVERTE!

> E, JÁ QUE É FESTA: UM COPO DE CHOPE
> TEM **90 CALORIAS**;
> EM UM PRATO DE SOBREMESA DE BATATAS FRITAS
> HÁ **180 CALORIAS**.
> QUANTAS **NOTAS**? VOCÊ JÁ VAI SABER

As opções de atividade física também são maiores. Desde caminhar à dança de salão. Com direito à azaração, que, aliás, é ótima para queimar calorias.

> UM BEIJO QUEIMA **10 CALORIAS**.
> DEZ BEIJOS QUEIMAM **100**
> E VOCÊ FICA FELIZ

Apenas 20% dos clientes que me procuram sofrem de obesidade genética. E até para esses existe solução. Tenho constatado que, na maioria das vezes, os obesos genéticos também cultivam péssimos hábitos alimentares. Hábitos que geralmente começaram em gerações anteriores às deles.

> A IMENSA MAIORIA DAS PESSOAS GORDAS
> COME MUITO OU COME ERRADO.
> A GRANDE VERDADE É:
> NÃO HÁ OBESIDADE SEM EXCESSO DE COMIDA

Se compararmos comida e dinheiro, veremos que ambos se comportam da mesma maneira.

Se você pode gastar 500 reais por dia e ultrapassar essa cota, começará a acumular dívidas.

Se você tem 500 notas diárias para gastar em alimentação e ultrapassar esse limite, começará a acumular gordura.

Em todos os sentidos, para vivermos bem precisamos respeitar limites. Ninguém faz o que quer sem pagar algum preço.

Você não nasceu gordo.

Você é gordo porque o preço de comer irracionalmente é o peso excessivo.

> IR AO CINEMA TAMBÉM
> GASTA ENERGIA. CADA 10 MINUTOS
> ASSISTINDO A UM FILME QUEIMA **16 CALORIAS**.
> VAMOS ESQUECER AS CALORIAS E DESPERTAR A SUA CURIOSIDADE.
> UM CACHORRO-QUENTE COM REFRIGERANTE LIGHT/DIET
> "CUSTA" APENAS **85 NOTAS**. O NÚMERO DE CALORIAS?
> DEIXA PRA LÁ, ISTO NÃO NOS INTERESSA

Informação técnica:

1) Alimentos DIET são aqueles que não levam adição de açúcar refinado.
2) Alimentos LIGHT são os que têm menos calorias que a sua versão original. Geralmente os alimentos diet e light são úteis em todas as dietas, mas os diet são particularmente úteis para os diabéticos, que não podem consumir açúcar refinado.

A FORÇA DO TALENTO

As duas são minhas clientes e minhas amigas. Ambas, por necessidade profissional, precisaram emagrecer muito além do razoável.

Admiro-as. São talentosas, fortes, seres humanos especiais.

Decidir quem contaria primeiro a sua experiência de emagrecimento criou-me um sério problema. Acabei optando pela imparcialidade da ordem alfabética. Refiro-me às atrizes Carolina Dieckmann e Daniela Escobar.

Há um limite em que o organismo aceita o emagrecimento. Quando a perda de peso é demasiada, o metabolismo começa a trabalhar em *slow motion*, armazenando energia para manter as funções vitais. Mas Carolina Dieckmann e Daniela Escobar emagreceram além do limite de seus corpos, mantendo-se perfeitamente saudáveis.

Para interpretar a Camila, personagem portadora de leucemia na novela *Laços de Família*, Carolina perdeu 10 quilos. Daniela Escobar perdeu 15 para entrar na pele da judia Bella Landau, fugitiva de um campo de concentração, na minissérie *Aquarela do Brasil*.

Acompanhei Carolina Dieckmann e Daniela Escobar no processo de se transformarem em outra pessoa por respeito ao próprio trabalho e ao público. Conheço o talento e a extraordinária força de vontade das duas. Pela arte, elas não mediram sacrifícios.

Hoje, novamente no peso ideal, Carolina e Daniela são minhas clientes. Tornaram-se adeptas da Dieta Nota 10. Mas prefiro que elas mesmas contem as experiências que mudaram seus hábitos alimentares.

CAROLINA DIECKMANN

"Conheci o doutor Guilherme por intermédio de Daniela Escobar. Ia começar a interpretar a personagem Camila, da novela *Laços de Família*, e precisava emagrecer. Tenho 1,60m e meu peso ideal é 50 quilos. Naquela época pesava 57 quilos, em conseqüência do nascimento de meu filho. Em um mês, perdi cinco quilos e, no mês seguinte, os outros dois.

Minha primeira surpresa ao conhecer o 'Doc', como gosto de chamá-lo, foi descobrir uma dieta que me libertava das dietas, já que podia comer de tudo. A segunda, compreender que, na verdade, eu não fazia regime, mas um aprendizado de como me alimentar de maneira correta.

Já chegara ao peso certo, 50 quilos, quando a Camila tornou-se portadora de leucemia. Eu precisava, fisicamente, representar aquele momento da personagem. Não apenas raspei os cabelos, procurei novamente o 'Doc'. Queria perder mais peso, conservando a saúde.

Na Dieta Nota 10, emagreço comendo 500 notas diárias e mantenho meu peso com 700. Naquele momento, porém, precisei exagerar. Com a supervisão do doutor Guilherme, passei a consumir 350 notas diárias, sem abandonar a lógica de ingerir todos os tipos de alimentos. Alface, por exemplo, é 'grátis'. Eu comia — aliás, ainda como, sou doida por alface-americana — uma bandeja inteira.

Em pouco menos de um mês perdi três quilos. Mantive a aparência tão saudável que, para gravar as cenas de hospital, precisava recorrer à maquilagem para 'criar' olheiras e palidez. Passava base na boca para ficar com aspecto doentio. É verdade que me sacrifiquei e, algumas vezes, senti-me fraca. Mas trabalhei feliz, pois conseguira um aspecto convincente para a Camila.

Isso aconteceu há quase três anos. Nunca mais abandonei a Dieta Nota 10. Hoje, mantenho o peso com 700 notas diárias. Muitas vezes, decido comer brigadeiros o dia inteiro. Esbaldo-me e não engordo.

O mais importante da dieta do doutor Guilherme é que ela não é um milagre, é um método que ensina as pessoas a raciocinarem. É uma espécie de vacina que impede a volta dos quilos desnecessários. Nunca mais deixei de avaliar quanto custa cada alimento. Escolho o que desejo comer e acho que a grande vantagem da Dieta Nota 10 é essa liberdade.

Consumo diariamente minhas **700 notas**, é muita comida. Se, na hora de dormir, ainda não as completei, tomo um copo de Nescau. Aprendi que, se por algum motivo precisar emagrecer de novo, meu corpo reagirá mais rápido porque o mantenho funcionando com o número certo de calorias. Com a dieta, entendi o meu organismo.

Hoje, a Dieta Nota 10 faz parte de mim. Instintivamente, como sabendo exatamente quantas **notas** estou gastando. Para manter o peso não faço sacrifícios, apenas penso. É simples assim."

DANIELA ESCOBAR

"Tenho 1,70m e mantenho meu peso entre 55 e 57 quilos. Sempre me preocupei com a minha alimentação. Desde menina, só como o que não engorda e é saudável. Há mais de 10 anos tirei a gordura da minha vida. Por isto, meu peso oscila pouco. Dois ou três quilos a mais, perdidos antes com as dietas tradicionais, agora com a Dieta Nota 10.

Ao me chamarem para interpretar a Bella Landau da minissérie *Aquarela do Brasil*, meu filho nascera e eu estava com cinco quilos extras. Seria impossível interpretar uma refugiada de campo de concentração com 60 quilos e bochechas rosadas. Aceitei o papel. Mas decidi que, por respeito ao povo judeu e para criar uma personagem verdadeira, não gravaria antes de perder muito peso. Refugiados de campos de concentração não tinham ar saudável e, ao compor a Bella, fiz questão de sublinhar esta triste realidade. Tantos artistas perdem e ganham peso para dar mais veracidade a seus papéis. Por que então eu não poderia fazer o mesmo?

Perdi 15 quilos com a Dieta Nota 10, sob a supervisão do doutor Guilherme de Azevedo Ribeiro. Não passei fome e não me sacrifiquei em momento nenhum. Sou louca por doces, mas podia comê-los. Não abri mão do arroz com feijão, que também adoro. Aumentei a quantidade de legumes e verduras e adicionei às minhas refeições uma banana picadinha. Não só porque gosto, mas para ficar mais bem alimentada. Antes, não colocava banana na comida com medo das calorias. Voltei a comer gordura e, enquanto perdia peso, não dispensei as batatas fritas quase diárias. Sentia-me muitíssimo bem e via meu peso ir embora.

Emagreci sem notar por que a minha disposição e a minha energia aumentaram. Quando comecei a ficar excessivamente magra — cheguei aos 45 quilos —, eu me olhava na cama e me assustava: parecia um ratinho. Ao mesmo tempo, sentia-me ótima e meus exames de sangue revelavam taxas surpreendentemente boas. Gravei a minissérie com um pique extraordinário. Apesar da aparência frágil e doente, mantive uma enorme disposição para fazer e refazer as cenas. Não me cansava e não me lembro de ter me sentido indisposta um dia sequer.

Ao encerrar a gravação de *Aquarela do Brasil*, já sabia que, enquanto emagrecia, apenas me disciplinara e trocara o nocivo pelo saudável. Compreendi a Dieta Nota 10, que prefiro chamar de Dieta da Consciência ou da Inteligência. Adotei-a, ela me levou a entender o meu corpo. Queijos, por exemplo, engordam-me. Se quero emagrecer um ou dois quilos, basta tirá-los do meu cardápio. Adoro sorvetes e não engordo se, diariamente, tomar um ou dois. Comer de tudo, com equilíbrio, é o segredo dessa dieta que, na verdade, não é dieta, é uma lógica.

Não esqueço mais o 'custo' dos meus alimentos preferidos. Alimento-me normalmente, mas as notas sempre me vêm à cabeça. Administro meu cardápio, não sinto fome. A facilidade de comer o que quero, na hora em que sinto vontade, dá uma ótima sensação de liberdade. Infelizmente, sou gulosa. Mas, agora, mantenho o peso com facilidade, pois posso, sem culpa, exercitar a minha gulodice. Depois que entendi a mecânica da Dieta Nota 10, vi o mundo de possibilidades que ela oferece. Enfim, encontrei um jeito feliz de comer o que quero e o de que gosto, sem engordar. É muito bom."

> UMA PESSOA ENTRE 1,60 E 1,70M
> PODE "GASTAR", NO MÁXIMO, **500 NOTAS** EM 24 HORAS.
> ASSIM, PERDERÁ CERCA DE UM QUILO POR SEMANA.
> QUANDO CHEGA A HORA DE MANTER O PESO,
> ELA FICA RICA:
> PODE "GASTAR" **700 NOTAS**.
> NOS DOIS CASOS, HÁ UMA "GORJETA" DE **50 NOTAS**
> PARA QUEM PRATICA EXERCÍCIOS REGULARMENTE

OS GORDOS E SUAS DÚVIDAS EXISTENCIAIS

Por que comemos?

Comemos para que nos mantenhamos vivos e saudáveis.

O que comemos?

Sobre o tema poderia escrever um tratado — mas não vale a pena. Para os leigos, interessados apenas nos ponteiros da balança, seria um assunto longo e chato.

Mas o que é comer certo e comer errado? Tchan, tchan, tchan... eis que, finalmente, o segredo será revelado: comer errado é comer demais.

Simples, não é? Mas é a pura verdade. Quem come de tudo um pouco alimenta-se saudavelmente — e, se quiser, perde peso.

A Dieta Nota 10 permite a livre escolha de alimentos, pois instintivamente o corpo atende às próprias necessidades. Geralmente, aquilo que você sente vontade de comer é a substância de que seu organismo necessita. Claro, refiro-me às pessoas com bons hábitos alimentares. Chocólatras não cabem nesse tipo de classificação. Mas até chocólatras têm salvação...

Acho que você entendeu que o problema não é o que você come, mas *a quantidade do que come*.

A freqüência com que acarinha a sua gula também se reflete na balança.

Não existem alimentos bons e ruins. Existe equilíbrio ou excesso. Desnecessário explicar que o segredo é o equilíbrio. Aliás, como em tudo nesta vida.

Batata frita? Claro que pode. Um prato de sobremesa é suficiente (aliás, custa 90 notas). Batata frita em quantidades pantagruélicas? Claro que não pode. Você irá engordar e encharcar seu corpo de gordura. Essa verdade se aplica a carboidratos, açúcares e proteínas. Não importa o nome de batismo de um alimento. Importa o EXAGERO com que ele é consumido.

Vivemos escutando conselhos: não coma gordura, não coma doce, não coma pão, não coma isso, não coma aquilo. Não, não, não e não — droga de vida sacrificada.

Tudo bem, isso acabou. Na Dieta Nota 10 não existem NÃOS. Existem bom senso, equilíbrio, lógica, inteligência. Se você for curioso, leia a explicação a seguir. Se não for, passe direto e obedeça à tabela. Dará certo, garanto.

Não custa satisfazer a curiosidade da turma que aprecia conhecer detalhes. Muito resumidamente, podemos afirmar que existem dois tipos de alimento: os energéticos e os construtores.

Alimentos energéticos, carboidratos e gorduras são o combustível de nosso corpo. Para respirar, correr, amar, pensar, enfim, para viver, o ser humano usa o "combustível" fornecido pelos alimentos energéticos.

Os alimentos construtores servem de matriz à construção de nossos órgãos: músculos, unhas, cabelos, dentes... e vai por aí afora. Os alimentos construtores são representados pelas proteínas encontradas nas carnes magras, no leite, na clara de ovo e nos peixes.

Coitados dos alimentos energéticos. Acabaram transformados nos vilões da história. Vira e mexe, alguém aponta o dedo em direção a eles, acusando-os de responsáveis por todos os males da humanidade.

O organismo não funciona assim. Todos os alimentos — carboidratos, gorduras e proteínas — são importantes e necessários. Em uma dieta de 500 notas diárias, o ideal é ingerir:

- 50% (250 notas) de carboidratos
- 30% de gordura (ou 150 notas)
- 20% de proteínas (cerca de 100 notas)

GORDURAS

Saturadas (principalmente gordura animal)
  Entre outros, leite, manteiga, queijos, margarina, gordura de coco, azeite-de-dendê, cacau, gema de ovo.
  Até 50 notas diárias.

Insaturadas (principalmente vegetais): dividem-se em monoinsaturadas e poliinsaturadas (Ômega-3 e Ômega-6)
  Azeite, azeitona, abacate, avelã, pistache, amendoim são gorduras monoinsaturadas.
  Óleo de soja, de milho e de girassol, gergelim, semente de gergelim, nozes, linhaça, vegetais verdes, abóbora, germe de trigo são gorduras poliinsaturadas.

Distribua as 100 notas restantes entre esses dois tipos de gordura.

CARBOIDRATOS (Açúcares)

Simples: monossacarídeos e dissacarídeos
  Frutas, xarope de milho e mel são exemplos de carboidratos monossacarídeos.
  Açúcar refinado, malte, cerveja, cereais matinais e derivados de cana-de-açúcar são dissacarídeos.

Complexos: polissacarídeos
  Pão, batata, arroz, milho, feijão, ervilha, trigo, legumes e farinhas são carboidratos polissacarídeos.

Use **250 notas** diárias para todos os carboidratos. Gaste **75 notas** nos monossacarídeos e dissacarídeos e **175** nos polissacarídeos.

Invista as **100 notas** restantes em proteínas.

Não esqueça que a maioria dos alimentos é composta. Por exemplo, doces levam açúcar (carboidrato), ovo (gordura), manteiga (gordura) e farinha (carboidrato).

E, por favor, não abuse de frituras, margarinas e maioneses. Gorduras modificadas pelo homem costumam fazer mal.

Parece complicado. E é. Mas, graças a Deus, existe a tabela...

CASAMENTO FATAL

Comendo a quantidade certa de todos os tipos de alimento, não aumentamos de peso. Até certo ponto, armazenar "combustível" é natural. Mas, comendo em excesso, ultrapassamos a nossa cota de reserva. Então, engordamos.

Comparando o cotidiano do homem contemporâneo e o do homem primitivo, encontraremos os dois vilões da nossa história: a roda e o açúcar. Ao descobrir a roda — e, com ela, a condição de fazer o mesmo trabalho com menos esforço —, nosso antepassado deu um enorme passo no processo civilizatório. Mas, em compensação, abriu as portas ao nosso primeiro inimigo: a preguiça.

Depois, o açúcar deu o tiro de misericórdia, ensinando à humanidade que se alimentar ia além de apenas se nutrir: também significava prazer. Pronto, surgiu a gula.

Num instante, a preguiça e a gula se encontraram: uma união perfeita, separar as duas sempre dá muito trabalho. Mas, na imensa maioria das vezes, são os gulosos e os preguiçosos que chegam ao meu consultório, aflitos para emagrecer. Eles não sabem que, em nosso dia-a-dia, temos muitas oportunidades de ajudar o nosso corpo a livrar-se do peso extra.

O PASSADO ME CONDENA

Ah... esqueça esse papo de genética. Até hoje, a ciência só provou a existência de uma comunidade primitiva que, sem conhecer a roda e o açúcar, sofre de obesidade. Para evitar que alguém tente me convencer descender dessa tribo que viveu, e ainda vive, em algum ponto do planeta, nada falarei sobre ela. Está tão longe de nós que, absolutamente, não vem ao caso. Mas aproveito a oportunidade para apresentar um fato concreto:

A História conhece casos de náufragos, semanas perdidos no mar, resgatados gordos?

> A CADA 10 MINUTOS, AS LUTAS FÍSICAS GASTAM ENTRE **90** E **127 CALORIAS**.
> UMA FATIA MÉDIA DE BOLO TEM **280 CALORIAS**.
> UMA COLHER DE SOPA DE DOCE DE LEITE TEM **120 CALORIAS**.
> UMA BOLA DE SORVETE TEM **170 CALORIAS**

Os três doces, porém, valem menos notas do que você imagina.

É TUDO MENTIRA...

Quando o assunto for emagrecimento, não acredite nas bobagens que lhe contarem. São muitos os boatos. Vamos esclarecer direitinho o que é, ou não, verdade. Assim, você ficará seguro e saberá exatamente o que fazer quando começar a Dieta Nota 10. Fuja das lendas e "simpatias". No mínimo, atrapalharão a sua tentativa de perder peso.

- **É mentira ser possível viver comendo apenas saladas e grelhados**

Após dois ou três meses neste regime espartano, você descobrirá que caiu em um embuste. Emagreceu, mas não aprendeu a se alimentar corretamente. Pior, um dia, tanta privação o levará a perder o controle. Então, você voltará a comer desordenadamente e engordará de novo.

Ponha na cabeça de uma vez por todas: só emagrece e se mantém magro quem aprende a comer aquilo de que gosta nas quantidades certas.

- **É mentira que existem alimentos que engordam e outros que não engordam**

Com exceção de verduras, café, chá, mate, limonada, cebola, alho, pimenta, vinagre, limão, molho inglês, mostarda e refrigerantes, balas e chicletes dietéticos, TODOS OS OUTROS ALIMENTOS ENGORDAM. Depende da quantidade ingerida. Por exemplo: dois iogurtes light engordam tanto quanto um iogurte normal.

> UMA COLHER DE CHÁ DE MARGARINA TEM **50 CALORIAS**.
> A MESMA COLHER DE CHÁ DE MANTEIGA TEM A MESMA QUANTIDADE DE CALORIAS. PORTANTO, COMA O QUE MAIS AGRADAR A SEU PALADAR

- **É mentira que comer à noite engorda mais do que comer durante o dia**

Ao contrário do que dizem por aí, comer à noite NÃO engorda. Sabe por quê? Para manter o peso, o ser humano gasta **750 a 2.000 notas/dia** (24 horas). Claro, o número de notas varia de pessoa para pessoa e depende de diversos fatores: sexo, altura, idade, tipo de atividades etc. Mas, em média, se colocarmos alguém em uma dieta de **500 ou 600 notas/dia**, estaremos gerando um déficit alimentar de cerca de **200 notas/dia**, não importando a hora em que essa pessoa se alimentar. O processo é dinâmico, embora o déficit seja permanente — e é o déficit permanente que leva a pessoa a emagrecer.

Quer entender melhor? Então, vamos ser práticos. Se, por **50 notas**, você comprar um sapato novo durante o dia e já sair da loja com ele no pé, imediatamente começará a gastar o sapato. Mas se, à noite, você comprar o mesmo sapato pelas mesmas **50 notas** e guardá-lo no armário, você só começará a gastar o sapato na manhã seguinte, quando começar a usá-lo.

Não importa se você comprou um sapato de dia ou de noite. Importa que o sapato será igualmente usado e igualmente gasto. A mesma coisa acontece com os alimentos. Não interessa a que horas você come. Interessa que, mais cedo ou mais tarde, seu metabolismo começará a gastar o que você comeu.

A nutrição é uma ciência matemática. Está provado que, à noite, o metabolismo é mais lento, ou seja, quem come à noite "guarda o sapato no armário". Mas este problema se resolve de maneira simples: você acorda. E, ao acordar, "calça o sapato", ou seja, começa a usar as calorias ingeridas de noite.

Você queima aquilo que come, não importa a que horas come.

- **É mentira que beber líquidos durante as refeições engorda**

Que bobagem, beber nas refeições apenas retarda o processo digestivo. E digestão lenta não engorda. *Grosso modo*, acontece o seguinte: quando você come, o organismo quebra as moléculas dos alimentos para digeri-las. Nesse processo, os carboidratos são processados primeiro e as proteínas depois. Ingerindo líquidos, você interfere no trabalho da máquina e obriga o seu corpo a resolver primeiro o problema daquilo que você bebeu. Só depois ele cuidará dos alimentos. Mas isso não importa. O que engorda é o que você come ou bebe, não o tempo que o seu organismo leva para processar a refeição.

- **É mentira que, nos fins de semana, pode-se comer à vontade**

Aprenda uma coisa interessante: durante uma dieta de emagrecimento, o metabolismo funciona mais lentamente. O corpo é sábio e, por isso, se protege. Ele ignora se você está tentando se livrar dos quilos extras ou se você se perdeu no mar. Sabe apenas que, de uma hora para outra, ele pode precisar de energia para sobreviver. Seguro morreu de velho. Quando você diminui a ingestão de alimentos, o corpo pisa no freio e, sovinamente, começa a economizar calorias.

Durante a Dieta das Notas, seu peso baixa entre um quilo e um quilo e meio por semana. Mas bastam dois dias — o sábado e o domingo — para seu metabolismo, deslumbrado com a energia que lhe é colocada à disposição, armazenar tudo avidamente. Quer saber o resultado de comer o que você quiser nos fins de semana? A resposta é simples e desagradável: no sábado e no domingo você engordará o que levou de segunda a sexta para emagrecer. Chato, não?

Nem preciso explicar por que, em um fim de semana ou outro, escapulir da Dieta Nota 10 é privilégio de quem alcançou o peso ideal. Você chegará lá, com certeza.

- **É mentira que somente fazer ginástica emagrece**

Atividades físicas são excelentes e a sua saúde agradece a atenção. Mas apenas se exercitar não emagrece ninguém. Já fizemos essas contas, mas não custa repeti-las. Uma semana tem 168 horas. Se você fizer ginástica cinco vezes por semana, durante duas horas, gastará apenas 10 horas de energia extra. Isso não chega a alterar o funcionamento do seu metabolismo. Para emagrecer, você precisa controlar a sua alimentação.

> A CADA 10 MINUTOS, OS SEGUINTES EXERCÍCIOS QUEIMAM:
> ESTEIRA ERGOMÉTRICA (PASSOS RÁPIDOS): **90 CALORIAS**;
> ANDAR DE BICICLETA COM MARCHA: **110 CALORIAS**;
> CAMINHAR RAPIDAMENTE: **92 CALORIAS**;
> NADAR: ENTRE **83** E **110 CALORIAS**;
> STEP: **60 CALORIAS**;
> GINÁSTICA AERÓBICA: **67 CALORIAS**.
> UM SANDUÍCHE DE QUEIJO CAMEMBERT
> TEM **250 CALORIAS**. MAS "CUSTA" MENOS **NOTAS**, CLARO

A essa altura, assustados, os adeptos da malhação já colocaram as mãos na cabeça. Tudo bem, deixe-me esclarecer. Em média, homens e mulheres gastam duas mil calorias/dia para se manterem vivos. Além das atividades diárias, o próprio metabolismo demanda muita energia. Para uma pessoa emagrecer é necessário criar um déficit de mil calorias/dia. Assim, o corpo é obrigado a buscar a sua energia na que mantém armazenada em forma de gordura.

Em um regime de emagrecimento é necessário cortar, sem o comprometimento da saúde, sete mil calorias por semana. Isso significa menos um quilo/semana. Para que esse processo ocorra, o consumo diário de alimentos não pode ultrapassar mil calorias (ou 500 notas). Isso, em média. Sabemos que o número de notas varia de acordo com a altura, o sexo, a idade etc.

Resumindo, quem faz dieta deve ingerir menos 40% ou 50% de alimentos que ingeria normalmente

A ginástica potencializa os efeitos da dieta, mas não emagrece. Mas estamos falando de pessoas comuns. Não de atletas profissionais, que ingerem uma enorme quantidade de calorias e as gastam na mesma proporção. O jogador de basquete Oscar, por exemplo, é um homem alto, de grande superfície corporal e que se exercita oito horas diárias. Provavelmente, precisa de cerca de 20 mil calorias/dia. Portanto, é livre para comer o que quiser. Mas Oscar é uma exceção e este livro é dirigido às pessoas comuns, com atividades comuns. Igual a mim e a você.

Veja esta sugestão de cardápio:

✤ Sugestão de cardápio ✤ DIETA NOTA 10 ✤

CAFÉ DA MANHÃ (CERCA DE 160 NOTAS)
- mamão
- leite desnatado
- pão (à sua escolha)
- presunto
- café
- suco

ALMOÇO (130 NOTAS)
- duas colheres de arroz
- duas colheres de feijão
- carne à sua escolha
- verduras à vontade
- quatro colheres de legumes
- uma banana
- uma colher de sopa de maionese light

JANTAR (180 NOTAS)
- quatro colheres de sopa de macarrão aos quatro queijos
- um brigadeiro

Que ótimo! Ainda tem um troco de **130 notas**.
Dá para um cachorro-quente, um pedaço de bolo,
torta de morango ou doce de leite. Ou, simplesmente
fazer outra refeição na hora de dormir.

Concordo, é ótimo. Só que você ainda não viu nada.

REMÉDIOS PARA EMAGRECER: O PERIGO MORA AO LADO

A AUTOMEDICAÇÃO MATA
NUNCA TOME REMÉDIOS SEM CONSULTAR O SEU MÉDICO

É prejudicial à saúde e errado tomar remédios para emagrecer. Simplesmente porque eles não emagrecem ninguém. A ciência ainda não inventou uma medicação que substitua o controle alimentar.

Se você está pretendendo emagrecer, esqueça:

- **Laxantes e diuréticos**

Eles só fazem você perder água, e perder água não é emagrecer. Perder água é desidratar e enfraquecer o seu corpo. Nosso organismo é composto de aproximadamente 70% de água. Alterar esse equilíbrio orgânico, além de não emagrecer, é perigoso.

- **Queimadores de gordura**

Não existem. Ainda não inventaram um remédio em que você come além da medida, deita na cama e o remédio, sozinho, queima as suas gorduras. Esqueça essa balela.

- **Automedicação**

Não compre remédios "milagrosos" porque o balconista de farmácia recomenda ou um vendedor de loja de produtos naturais garante não fazer mal à saúde. Todos os remédios são potencialmente perigosos. Só um médico sabe as vantagens e as desvantagens dos medicamentos.

CONSULTE O SEU MÉDICO

Tudo bem, existem medicamentos que realmente auxiliam o emagrecimento. NUNCA os tome sem consultar o seu médico. Apenas para você ficar sabendo quais são esses remédios – e nunca mais cair no conto-do-vigário das fórmulas milagrosas –, vamos conversar a respeito.

- **Betaglucomanose/galactomanose**

Uma planta com o chamado efeito-esponja, quando ingerida com bastante água, provoca sensação de saciedade, como se você tivesse comido alguma coisa. Seu efeito é muito suave.

CONSULTE O SEU MÉDICO

- **Orlistat, o famoso Xenical**

Elimina 30% da gordura ingerida.

Voltarei a falar nisso, é muito importante. Mas a alimentação saudável é composta de:

20% de proteínas
30% de gordura
50% de carboidratos

Instintivamente, o organismo busca esse equilíbrio. O Orlistat atua sobre a gordura ingerida, eliminando 1/3 dos 30% da gordura ingerida. Trocando em miúdos: essa medicação vai eliminar apenas 10% do total das gorduras que você comer. É um ganho limitado. Ajudar, o Orlistat ajuda. Mas bem menos do que se pensa. Aliás, remédios para emagrecer são meros auxiliares em qualquer programa de redução de peso. O que realmente emagrece é a reeducação alimentar.

CONSULTE O SEU MÉDICO

- **Hormônios de tireóide**

São capazes de acelerar o seu metabolismo, mas a dose eficaz causa hipertireoidismo iatrogênico. Esse nome complicado significa uma

doença causada pelo uso indiscriminado de hormônios tireoidianos.
Pense bem: é uma atitude inteligente emagrecer à custa da sua saúde?
Existe uma disfunção chamada hipotireoidismo. Uma das suas características é o peso excessivo. Trata-se o hipotireoidismo repondo-se, sob severa orientação médica, os hormônios que deveriam ser produzidos pela glândula tireóide.
Atenção: apenas 1% da população mundial sofre desse mal.

CONSULTE O SEU MÉDICO

- Ansiolíticos e antidepressivos

Reduzem a angústia e a gula. Para entender as vantagens do uso dos ansiolíticos e antidepressivos em uma dieta de emagrecimento, vá até a página 71. O capítulo VOCÊ PENSA QUE É FÁCIL? explica direitinho a sua compulsão por comida e os motivos de essas medicações ajudarem você a só comer quando estiver sentindo fome.

Nunca é demais repetir: jamais tome remédios sem orientação médica.

CONSULTE O SEU MÉDICO

- Moderadores de apetite

A ciência já mapeou com precisão os centros do apetite e da saciedade no cérebro humano. O Centro do Apetite avisa que precisamos comer. O da Saciedade, que precisamos parar de comer.

Os gordos não conseguem decodificar corretamente as informações emitidas por esses dois centros. Ou, então, as decodificam de maneira distorcida. Desde que receitados por um médico e em doses suaves e adequadas, os moderadores de apetite ajudam a quem está acima do peso a processar corretamente os comandos cerebrais. Trocando em miúdos: os moderadores de apetite ajudam os gordos a saberem a hora de comer e a hora de parar. Mas esses remédios são uma faca de dois gumes. Só devem ser usados em casos excepcionais e sob supervisão médica.

CONSULTE O SEU MÉDICO

Vamos combinar uma coisa? Daqui para a frente, nunca mais você esquecerá que qualquer um consegue emagrecer com uma dieta balanceada e exercícios físicos. Basta querer.

Se a sua intenção é emagrecer e permanecer magro, adote uma dieta balanceada, na qual proteínas, carboidratos e gorduras sejam consumidos conforme as suas necessidades. Mas não esqueça uma coisa: antes de começar qualquer dieta — inclusive a Nota 10 —, procure um médico para avaliar o seu estado de saúde.

> DEZ MINUTOS AO TELEFONE
> GASTAM **14 CALORIAS**. LIVRE-SE DELAS.
> PEGUE O TELEFONE E MARQUE
> UMA CONSULTA COM O SEU MÉDICO.
> NA DIETA DAS NOTAS, VOCÊ PODE COMER DE TUDO:
> UMA COLHER DE SOPA DE PATÊ: **35 NOTAS**;
> UMA CONCHA E MEIA DE STROGONOFF: **50 NOTAS**;
> UM WAFFLE: **35 NOTAS**;
> UM BOMBOM: **70 NOTAS**

LOBO EM PELE DE CORDEIRO

Desde que a medicina descobriu que, para emagrecer, não era obrigatório o sacrifício de comer apenas carnes grelhadas e legumes cozidos em água e sal, começaram a proliferar dietas não confiáveis. São as "dietas lobo em pele de cordeiro". Aparentam ser muito boazinhas, muito inofensivas, muito fáceis de fazer. Na verdade, podem até agradar à sua balança. Mas, quando menos se espera, o lobo mau do desequilíbrio alimentar apresenta a conta: você descobre que comprometeu a sua saúde.

Existem dietas boas e dietas más. O objetivo de um regime de restrição alimentar é, claro, perder peso. Mas nunca em detrimento da sua saúde. Se você emagrece, mas altera para pior o funcionamento do seu corpo, a dieta que você faz é ruim.

Ao começar qualquer regime, consulte um médico. Seu médico particular, o de um posto de saúde, o do hospital que atende à sua região. Nunca mude seus hábitos alimentares sem supervisão médica.

Se você mora na cidade de São Paulo, procure a Clínica de Obesidade do Hospital das Clínicas, dirigida pelo professor Alfredo Halpern. Se mora na cidade do Rio de Janeiro, o Instituto de Diabetes e Endocrinologia, dirigido pelo professor Ricardo Meirelles, na rua Moncorvo Filho, 90, Centro.

Em qualquer cidade ou país, procure um endocrinologista de sua confiança. Mas não existem apenas médicos particulares. Na rede pública, você tem como emagrecer sob a supervisão de um profissional.

ANTES DE COMEÇAR
QUALQUER REGIME DE
EMAGRECIMENTO,
CONSULTE UM MÉDICO

Agora, vamos conhecer as mais divulgadas "dietas lobo em pele de cordeiro". Essas, não as faça nem com supervisão médica. Elas oferecem uma nutrição tão desequilibrada que, com absoluta certeza, prejudicarão a sua saúde.

DIETA DA LUA

Não há fundamento científico na crença de que a Lua influencia nosso metabolismo e ajuda alguém a perder peso. Sinceramente, essa dieta é uma bobagem.

DIETA DA COMBINAÇÃO ALIMENTAR

Vence pelo cansaço. É tão complicado calcular o que pode e o que não pode — não esqueça que um suflê, por exemplo, leva farinha, leite, ovos, manteiga, tudo "descombinado" — que você perde um tempo enorme pensando se X casa com Y e se XY, ao lado de Z, não esbarra no X. Resultado: desanimado, você acaba fazendo um prato simples e desestimulante. Emagrece porque come menos, exausto de, na hora das refeições, perder um tempo enorme equacionando o que combina com o quê. O final dessa história é igual ao de todas as dietas desequilibradas. Um dia, você desiste de resolver problemas matemáticos no almoço e no jantar e... engorda.

DIETA DAS PROTEÍNAS

Ela obriga o seu corpo a gastar, entre três e cinco vezes mais, o combustível errado. Convenhamos, isso não é uma dieta, é um atentado à saúde.

Proteínas não foram feitas para serem usadas como combustível. As proteínas são alimentos construtores dos nossos órgãos (veja a página 34). O corpo humano é preparado para viver com carboidratos. Por isso, o sistema de utilização de carboidratos é tão simples. Quase que imediatamente após serem ingeridos, os carboidratos são transformados em energia pela insulina produzida pelo pâncreas.

Os carboidratos, proibidos na Dieta das Proteínas, são a principal fonte de energia para o perfeito funcionamento do coração e do cérebro, órgãos vitais que, eventualmente, precisam de quantidades generosas de energia de fácil obtenção. Apenas e exclusivamente os carboidratos são capazes de oferecer essa energia com a velocidade adequada. Você consegue imaginar o quanto é perigoso retirar completamente do cardápio a fonte de energia que sustenta a sua vida?

Duas semanas na Dieta das Proteínas provocam hipoglicemia ou baixos níveis de açúcar no sangue. Isso significa que você sentirá dor de cabeça, terá fraqueza muscular (o coração é um músculo), sofrerá de falta de atenção, ficará com o humor alterado e, provavelmente, se sentirá muito triste. Mas esses sintomas são café-pequeno. Na Dieta das Proteínas, suas chances de aumentar os níveis de colesterol, triglicerídeos e ácido úrico são imensas. Resumindo: a Dieta das Proteínas é um imenso perigo.

Ah, você fez a Dieta das Proteínas, emagreceu e não morreu? Meus parabéns, você é uma pessoa de sorte. Mas diga-me sinceramente: alguém consegue passar a vida inteira sem consumir pão, doce, massas, batatas, pipoca, farinhas, sorvetes etc. e tal? Duvido muito. O que isso quer dizer? Apenas que você engordará novamente. E, ainda por cima, precisará procurar um clínico para pôr a saúde em ordem.

A dieta de South Beach é uma outra versão da Dieta das Proteínas.

DIETA DAS FRUTAS (BEVERLY HILLS)

É o avesso da Dieta das Proteínas e, por isso mesmo, igualmente mal balanceada. A Dieta das Frutas priva seu organismo das proteínas, ou seja, de aminoácidos e de ferro. Felizmente, esse é um modismo ultrapassado porque suas conseqüências não variavam: a pessoa emagrecia, mas ficava anêmica e sofria de fraqueza muscular.

DIETA DA PIRÂMIDE, DOS LÍQUIDOS, DOS GRUPOS SANGÜÍNEOS, DAS MASSAS (E OUTRAS NA MESMA LINHA)

Engavete-as. São mal balanceadas, pouco saudáveis e desprovidas de fundamentos científicos.

Um parêntese: vamos falar na dieta tradicional, aquela dos legumes cozidos em água e sal e carnes grelhadas. Essa dieta tem o seu valor: emagrece e é saudável. O único problema de adotá-la — se não há uma indicação médica que exija tanto sacrifício — é que ela não se justifica quando o objetivo é apenas emagrecer. Comer é fonte de prazer e pode continuar sendo, mesmo em um período de perda de peso. Hoje, a dieta tradicional tem indicação restrita. Quando a proposta é ficar de bem com a balança, ninguém precisa mais enfrentar privações desnecessárias.

ENFIM, A DIETA NOTA 10!

Prepare-se, agora você vai começar a fazer a Dieta Nota 10. Comendo a quantidade certa de todos os alimentos — inclusive os seus preferidos, não importando quais —, você emagrecerá e aprenderá a se manter magro. Mas, antes, tome alguns cuidados:

1) Procure um médico e avalie as suas condições de saúde.
2) Peça ao médico para verificar se você é portador de doenças que exijam uma alimentação específica: diabetes, aumento de gordura no sangue (colesterol, triglicerídeos), hipertensão arterial, doenças renais, anemia, doenças do fígado etc.
3) Obedeça ao médico se ele encaminhá-lo a um nutrólogo ou nutricionista.

SIGA SEMPRE AS ORIENTAÇÕES DO SEU MÉDICO

Se o clínico lhe deu o sinal verde para seguir a Dieta Nota 10, vamos a ela.

A filosofia da dieta você já entendeu: come-se um pouco de tudo: gorduras, carboidratos e proteínas. E nem pensar em se sacrificar diante de algo muito "caro", mas que lhe dará prazer. Coma aquilo que a sua vontade pedir. Mas, administrando as notas, é fundamental nunca ultrapassá-las. Que fique bem claro: se o seu limite são 500 notas, não há a menor dúvida de que, respeitando-as, você emagrecerá. Mas se você comer 520 notas, 510 notas, achando que tão poucas notas não farão diferença, lamento desapontá-lo: fazem sim, e muita. Quem ultrapassa seu número de notas simplesmente não emagrece.

Você, sozinho, aprenderá a gastar suas notas de modo a ficar alimentado, sentir-se bem, comer do que gosta e... emagrecer. A Dieta Nota 10 é a dieta do bom senso. Raciocine... Você emagrecerá.

Neste livro há uma tabela (página 85) com a maioria dos alimentos reunidos em grupos e com o valor calórico aproximado calculado em notas. O objetivo da tabela é simplificar o seu cotidiano: você não precisa ser um especialista em nutrição para utilizá-la. Com o tempo, vai reparar que, igual a todas as pessoas do mundo, as suas preferências alimentares giram entre 10 e 15 itens. Ao descobrir os itens de sua preferência, você terá se tornado seu próprio especialista.

Por isso, a tabela é pequena. A intenção da Dieta Nota 10 é fazer você pensar no que está comendo e em quantas notas aquilo vale. Por exemplo: frutas. Não adianta listar todas as frutas do mundo, com seus respectivos valores. Basta você saber que qualquer quantidade média de fruta — uma maçã média, um tangerina média, uma quantidade média de morangos — custa aproximadamente 25 notas. É cansativo andar para cima e para baixo com uma lista de três mil itens. Com o tempo, esse "catálogo telefônico" alimentar irá para o lixo porque você perdeu a paciência de procurar o valor de tudo que coloca na boca.

Para os inseguros, uma dica: seu bom senso lhe dirá o tamanho de uma maçã média ou de qualquer outro alimento. Todos sabem quando comem de mais ou de menos.

Já conversamos sobre esse assunto. Mas, como ele é importante, não custa repetir. A alimentação bem balanceada constitui-se de:

20% DE PROTEÍNA
30% DE GORDURA
50% DE CARBOIDRATOS

Isso está registrado em seu corpo. Instintivamente o bicho-homem procura esse equilíbrio. Claro, há distorções. Nesse caso, procure um nutricionista ou nutrólogo e consulte o seu médico.

Aprenda definitivamente que não existem alimentos permitidos e proibidos. Existem apenas alimentos. Se engordam ou emagrecem, depende das **notas** que valem e da quantidade que você decidir comer. Por exemplo:

> COM **120 NOTAS** VOCÊ "COMPRA" UM BIFE MÉDIO COM DUAS COLHERES DE ARROZ E DUAS DE FEIJÃO OU UM MISTO QUENTE.
> COM **50 NOTAS** VOCÊ "COMPRA" UM BRIGADEIRO (NEM PEQUENINO, COMO O DE FESTAS, NEM ENORME, COMO O DE PADARIA) OU UMA LARANJA E UMA MAÇÃ

A escolha é sempre sua, depende do que você está com vontade de comer ou da sua fome. Na Dieta das Notas não existem proibições. Consultando a tabela, deixe voar a imaginação e misture o que quiser, como achar melhor. As horas de comer também são livres. Tudo é permitido, desde que você não ultrapasse o número de **notas** que pode gastar em um dia (24 horas, há quem goste de comer de madrugada).

Veja a tabela a seguir. Nela estão os números de **notas** diárias permitidas em relação a seu sexo e a sua altura.

PARA EMAGRECER

Mulheres até 1,60m: **450 notas/dia**
Mulheres entre 1,60m e 1,70m: **500 notas/dia**
Mulheres acima de 1,70m: **550 notas/dia**

Homens até 1,65m: **600 notas/dia**
Homens entre 1,65m e 1,75m: **650 notas/dia**
Homens acima de 1,75m: **700 notas/dia**

Cinqüenta notas são um brinde para quem pratica exercícios físicos ao menos três vezes por semana. **Cinqüenta notas?** Você acha pouco? Pare e pense. Esse "presentinho" significa, diariamente, um brigadeiro extra. Ou mais duas colheres de arroz. Ou mais duas frutas. Ou mais um copo pequeno de chope. Não hesite. Se você é sedentário, comece a se exercitar imediatamente. Além de melhorar a saúde, você comerá mais e emagrecerá mais rápido.

> BERINJELA E PIMENTÃO TEMPERADOS COM UMA COLHER DE CHÁ DE AZEITE, SABOROSO ANTEPASTO DOS RESTAURANTES ITALIANOS, "CUSTAM" APENAS **20 NOTAS**

Até se habituar à Dieta Nota 10, obrigue-se a controlar seus gastos diários para não ultrapassá-los. Não se esqueça, ultrapassando o número de notas que pode gastar diariamente, você NÃO emagrecerá. Habitue-se a "roubar" contra. Ao calcular o valor de um alimento, conte as **notas** de cinco em cinco. Por exemplo: uma colher de sopa de maionese light custa 25 **notas**. Se você comer apenas a metade, você não comeu 12,5 **notas**. Comeu 15.

Para facilitar a sua vida, anexei a este livro a **AGENDA NOTA 10**. Ande com ela na bolsa ou no bolso. Na última página há uma roda com uma seta que aponta para os números de **notas** que você pode gastar diariamente. Ao comer, gire a seta até o número de **notas** gastas. Deixe a setinha ali parada e, ao se alimentar novamente, repita a operação. No final do dia, anote o total, zere a roda e recomece a operação na manhã seguinte. Simples e prático. Ainda por cima, ajuda a decorar o valor dos alimentos. Mais cedo do que imagina, você dispensará a roda. O "valor" dos alimentos estará bem guardado na sua memória.

Fuja da tensão dos quilos perdidos. Só se pese semanalmente, na mesma balança. Não custa evitar mal-entendidos, balanças apresentam variações. Também não esqueça que fatores extra-regime influem em seu peso (apesar de, não necessariamente, significar que você engordou): tensão pré-menstrual, uso de medicamentos, ingestão de líquidos, a hora em que você se pesa etc.

Na Dieta Nota 10, a média de perda de peso é de um quilo por semana no primeiro mês e um pouco menos nos meses seguintes. Tenha paciência. Peso perdido depressa, depressa se recupera. A Dieta Nota 10 é uma opção de vida, um novo caminho. Funciona equilibradamente, pois se fundamenta no bom senso.

Pronto para começar? Ótimo. Com alguma força de vontade, em pouco tempo você estará mais magro, mais saudável e muito mais autoconfiante.

MANTENHA A LINHA

Emagreceu? Que bom. Finalmente, comendo bem e de modo saudável, você atingiu o peso ideal. Tenho uma ótima notícia: você não ficou apenas magro, você também ficou rico. Para manter-se na linha, disponha de mais **notas** para gastar na alimentação diária.

Quem quer manter o peso estabilizado pode acrescentar 40% de notas à cota do período de emagrecimento. Por exemplo, quem perdeu peso gastando 500 notas diárias passa a ter direito a 700 notas. Mais as 50 notas extras, bônus para os que já se convenceram das vantagens dos exercícios físicos.

Mantendo essa cota, não há a menor possibilidade de você voltar a engordar. Até porque 700 notas significam muita comida. Usando como parâmetro as 700 notas, você também pode manter o peso fazendo o controle semanal. Estabeleça a cota de **4.500 a 5.000 notas** semanais. Se um dia você exagerar, no outro você compensa. Cada um faz do jeito que lhe é mais fácil e agradável. O importante é lembrar que, como na época do emagrecimento, você não pode ultrapassar o número de **notas**, senão voltará a engordar. Você não quer engordar, quer? Aliás, nem precisa. Em uma dieta que não restringe nem doces ou bebidas alcoólicas, você só engorda se quiser. Para manter a linha, basta manter a disciplina.

Ainda em dúvida? Examine esta sugestão de cardápio:

✤ Sugestão de cardápio ✤ DIETA NOTA 10 ✤

CAFÉ DA MANHÃ (200 NOTAS)
- café com leite
- pão
- presunto
- uma fruta

ALMOÇO (235 NOTAS)
- um bife médio
- quatro colheres de arroz
- duas colheres de feijão
- verduras e legumes à vontade
- duas colheres de maionese light
- um pãozinho para acompanhar

JANTAR (225 NOTAS)
- uma porção de suflê
- um pedaço de frango assado
- duas colheres de arroz
- legumes e verduras à vontade
- sorvete de sobremesa
  (Afinal, ninguém é de ferro! Quem não gosta de sorvete?)

Que tal? Você gastou **660 notas**, alimentou-se muitíssimo bem e ainda tem um troco de 40 notas para usar no lanche ou antes de dormir: um iogurte light, uma fruta, um copo de cerveja, um belo prato de creme de cogumelos, cebola ou camarão. Vamos, dê a mão à palmatória: alguém pode se queixar?

O cardápio anterior, escolhido entre os alimentos da tabela, é apenas um entre centenas de outros que você criará. Se for de sua preferência trocar uma refeição por caviar, torradas e vinho, não há problema. Só não se esqueça de contar as notas. Aliás, pelo menos na Dieta Nota 10, caviar não é caro. Duas colheres de sobremesa de caviar custam **50 notas**. As torradas custam o preço do pão — um pãozinho francês custa **60 notas**. E cada cálice de vinho também custa **60 notas**. Mesmo que você exagere, não gastará muito mais do que **230 notas**. Já que ninguém come caviar todos os dias, vale a pena.

Aviso importante: se, em um fim de semana, você resolver mandar a dieta para o espaço, volte na segunda-feira à dieta das **500 notas**. Seguindo-a corretamente, no outro fim de semana os quilos adquiridos em momentos de insensatez já terão evaporado. Mas, antes de voltar ao regime de manutenção, não custa nada consultar a balança. De grão em grão, a galinha enche o papo. E de 200 gramas em 200 gramas não existe quem não acabe engordando.

Como você já pôde constatar, a Dieta Nota 10 não é dieta, é uma maneira inteligente de se alimentar. Para você entender melhor os motivos de a Dieta Nota 10 emagrecer, sem tirar o prazer proporcionado pela boa comida, vou explicá-la mais detalhadamente. Assim, ninguém se queixará de não entender por que come e... emagrece.

1) A Dieta Nota 10 elimina o estresse, comum em outros regimes. Escolher livremente o que se deseja comer, atendendo às necessidades de seu corpo, permite que as refeições sejam prazerosas.

2) O mesmo conceito se aplica ao fato de as horas das refeições dependerem da sua vontade. É problema seu decidir como suas **notas** serão usadas. Não aconselho ninguém a passar mais de quatro horas sem colocar combustível no corpo. Pode provocar pane seca, ou seja, uma hipoglicemia: tonteira, fraqueza, mal-estar e até desmaios. Mas, na Dieta Nota 10, quem determina a hora que você vai comer é a sua fome. Portanto, desmaiar é um risco que não se corre.

3) A Dieta Nota 10 não impede ninguém de comer normalmente. Nunca mais constrangimentos em restaurantes ou dietinhas especiais, que dão a maior mão-de-obra. Você só precisa lembrar que, se optar por comidas com molho, este deverá ser computado à parte. Por exemplo, se lhe oferecem macarrão aos quatro queijos, coma tranqüilo. Não engordará desde que as **notas** sejam contadas assim·

— Oito colheres de sopa de macarrão: 140 notas.
— Uma porção de molho de queijo: 60 notas.
— Total: 200 notas.

4) A tabela da Dieta Nota 10 oferece uma lista variada de alimentos. Alguns deles grátis, que podem ser utilizados à vontade, sem restrições de quantidade e sem precisar entrar na nota final da refeição. E nada impede que esses alimentos sejam muito saborosos. Um repolho refogadinho, mesmo levando óleo em sua preparação (por favor, a quantidade normal), vale **zero nota**: você pode comer quanto quiser.

5) Não há necessidade de pesar ou medir os alimentos. Quando a tabela indicar "uma porção", prevalece o bom senso. Um bife médio significa o bife que a gente faz em casa e não aqueles imensos, que ocupam o prato inteiro, servidos nos restaurantes. Mas, se a sua decisão é pelo bife imenso, "pague" 100 notas em vez das 50 de praxe.

6) Bem, desculpe o mau jeito. Mas preciso ser sincero e avisar que frituras ou comida muito engordurada "custam" o dobro das **notas** normais. Quem não gosta de um bife à milanesa? É, mas nesse caso, mesmo o bife médio "custa" 100 **notas**. Todos os alimentos fritos são duas vezes mais caros.

7) Pela tabela e fazendo comparações, calculam-se as **notas** de uma infinidade de coisas. Já reclamaram por que não listei o "preço" da paçoca de amendoim. Mas, se na tabela há a **nota** do açúcar e a do amendoim, é só fazer o cálculo.

8) Para calcular a **nota** de comida comprada pronta, basta dividir o número de calorias por dois. Se um prato de lasanha tem 240 calorias, ele vale 120 **notas**.

> UM PRATO DE SOBREMESA DE BATATA FRITA CUSTA **90 NOTAS**.
> DOIS OVOS, **50 NOTAS**.
> DUAS COLHERES DE ARROZ, **35 NOTAS**.
> ALFACE, RÚCULA E TOMATE SÃO GRÁTIS.
> QUER REFEIÇÃO MAIS GOSTOSA?
> SÓ CUSTA **175 NOTAS**

VOCÊ PENSA QUE É FÁCIL?

MAS... VOCÊ PENSA QUE É FÁCIL?

Bem, acabando de ler este livro você deve estar achando que descobriu o caminho das pedras: "Emagrecer e se manter magro é facílimo." Lamento decepcioná-lo — não é, muito pelo contrário. Conservar o peso ideal é uma guerra. Você pode vencê-la, claro. Mas precisará travar, dia após dia, uma batalha sem tréguas contra um poderoso inimigo: a sua compulsão por comida.

Existem pessoas com menos predisposição para engordar. A idade favorece o acúmulo de peso. Mulheres engordam mais do que os homens e têm mais dificuldade para emagrecer. Na juventude, nossa cultura conspira contra. "Irada" é a turma "boa de garfo", "boa de copo". Enfim, sobram variantes. Mas, quando falamos em excesso de peso, o vilão é um só: a má alimentação, que significa desde o excesso de comida até a ingestão errada de alimentos.

De cada 10 pacientes que me procuram, oito são gordos por comer em demasia. Comer é um vício difícil de abandonar. Você pode não saber, mas se come exageradamente é um dependente químico. Usa a comida como poderia usar outra droga. É triste, mas é verdade. Para emagrecer e se manter magro, os gulosos precisam encarar o fato de que são *viciados*. A luta que travarão será igual à de qualquer outro viciado e incluirá até crises de abstinência. Já tive um cliente que emagreceu, engordou, emagreceu, engordou. Um dia, finalmente, confessou-me que iria jogar a toalha. Simplesmente não conseguia abandonar o vício de se empanturrar de salgadinhos — uma terapia teria resolvido o seu problema.

A contrapartida dessa história é a ex-gorda que, ao entrar pela primeira vez em meu consultório, confessou-me a sua dependência em refrigerantes. Acordava durante a noite para beber vários copos. Após alguns meses e muitos quilos perdidos, ela me relatou seu esforço para se adaptar ao paladar do refrigerante light. Mas conseguiu. E o mais interessante: parou de se levantar durante a madrugada para satisfazer a gula.

A atriz Camila Morgado é uma mulher magra e de bons hábitos alimentares. Para filmar *Olga* e interpretar com o máximo de realismo o período em que a personagem viveu em um campo de concentração nazista, Camila me procurou. Em três meses, perdeu sete quilos. Mas sofreu dores de estômago, mau humor, mal-estar generalizado, dores de cabeça e hipoglicemia. Esses sintomas não são raros em regimes de emagrecimento. Seu médico lhe dirá quando estarão sinalizando um problema de saúde ou quando serão, apenas, sintomas de crise de abstinência. No caso de Camila Morgado, eram crises de abstinência que ela administrou com extraordinária força de vontade.

Um assunto puxa o outro e não custa relembrar: jamais comece um regime sem prévia avaliação clínica. Procure um médico.

Mas voltando ao que interessa e simplificando para você entender. A gula é parente próximo da compulsão, um desvio de comportamento de origem emocional. Quem come demais estabelece com os alimentos vínculos físicos e emocionais. Não duvide: os gordos são pessoas ansiosas, que comem à procura de um alívio temporário de suas tensões.

A comida — especialmente os doces — é serotoninérgica. Isso quer dizer que nela (e nos doces ainda mais) existe um grupo de substâncias que imitam a ação das serotoninas. Normalmente, as serotoninas são fabricadas pelo organismo e funcionam como "calmantes", provocando uma gostosa sensação de bem-estar.

Quando "bate a depressão", há uma diminuição no seu nível de serotonina. Então, você come para substituir — de maneira fugaz e engordativa — as serotoninas naturais. Após comer para se saciar em "falsas serotoninas", os problemas emocionais não mudaram. E você está mais gordo — e mais feio. Então, mais frustrado, volta a comer. Assim, de tristeza em tristeza, você cria o círculo vicioso de mais frustração, mais comida, mais frustração e... cada vez mais quilos.

A neurociência já descobriu no mínimo quatro sistemas de descontrole emocional. Os três primeiros relacionam-se intimamente à busca por comida:

1) Sistema de recompensa e busca
2) Sistema de raiva
3) Sistema de medo/ansiedade
4) Sistema de pânico

Não importa qual o motivo por que você pede socorro à comida, mas sim que esse comportamento precisa mudar. Em sua cabeça, você deu guarita a um inimigo que o obriga a conviver com um hábito destrutivo: o de comer demasiadamente.

Ao contrariar esse monstrinho, seu corpo e sua psique começam a conspirar contra. A memória do corpo luta para reaver os quilos extras e, igual a Camila Morgado, você se sente irritado, enjoado etc. A dependência emocional "cria" situações que o empurram de volta ao aditivo químico que sumiu do mapa: a comida.

Não se desespere nem desista. Existem muitos recursos para você se libertar do vício que lhe prejudica a saúde e a estética. Pessoalmente, conheço milhares de ex-gordos que mudaram radicalmente de vida. O que quero deixar rigorosamente claro é que a Dieta Nota 10 não é uma panacéia milagrosa e que só de ler este livro seus quilos desaparecerão em um passe de mágica. A Dieta Nota 10 emagrece, sim. Atualmente, não existe método mais confortável e seguro para quem deseja perder peso. Mas, como qualquer dieta, ela exige uma cota de sacrifícios.

Emagrecer e continuar magro significa mudar completamente de vida. Todos os que conseguiram se livrar do peso extra descobriram que não há descanso na luta contra a balança. Quem emagreceu e se conserva magro identificou por que embrulhava a comida para presente e a empurrava goela abaixo. Raiva? Compensação de perdas? Ansiedade? Os motivos deles, eles os resolveram. Sejam quais forem os seus motivos, saiba que a ciência já provou que o mecanismo que leva alguém a comer compulsivamente pode alicerçar outros vícios, igualmente destrutivos. Mas se ex-gordos, ex-alcoólatras, ex-fumantes, ex-sei-lá-o-quê conseguiram domesticar o monstrinho do vício, por que você não conseguirá?

Tenho ou não razão de chamar isso de guerra?

Senhoras e senhores, assumam: é difícil, mas não é impossível. Se a dificuldade for muito grande, faça uma terapia. Com certeza, você descobrirá qual o significado que está emprestando à comida por precisar comer tanto.

Afirmem para si próprios ser perfeitamente possível alcançar a vitória. Tudo depende da força de vontade.

Está na hora de você aprender a dizer NÃO à comida em excesso. Está na hora de você aprender a hora certa de parar de comer.

NÃO COMA COM A EMOÇÃO, COMA COM A RAZÃO

"Dois hambúrgueres, alface, queijo, molho especial, cebola, picles num pão de gergelim."

Custa muito caro. Mas, sem culpa, um dia você poderá comer esse sanduíche.

Basta usar a cabeça.

NÃO ESTICA QUE ARREBENTA

Respeitar as limitações de seu corpo. Esta é uma verdade que não deve ser esquecida na Dieta Nota 10.

Aliás, respeitar os limites do corpo é uma verdade aplicável a todas as atividades. Não pense que só porque você aderiu à Dieta Nota 10 vai virar uma top model ou um marombeiro, com os músculos desenhados e tudo no lugar.

Respeite o seu organismo. Cuidado para não se forçar além do limite, porque, pressionado, seu corpo se comportará igualzinho a um elástico. Tanto você o puxará que ele acabará arrebentando.

Cada pessoa tem um biotipo. Se você é pesado, pode morrer de fome, mas jamais alcançará o peso "vendido" pela indústria da moda sem prejudicar a saúde. Se seu tipo é esguio, nem todo o chocolate do mundo lhe proporcionará os seios fartos ou os bíceps Rambo de seus sonhos. No máximo, você acumulará gordurinhas indesejáveis na cintura, pernas ou quadril.

A natureza é sábia. Cada ser nasce com um "programa". Podemos interferir nesse "programa" e melhorar seu funcionamento. Mas nunca o modificaremos completamente.

Se só bastasse comer isso ou aquilo para mudarmos nosso biotipo, os animais não nos dariam inesquecíveis exemplos. Ao menos, aconselho meus clientes a nunca esquecerem que:

- O elefante, o hipopótamo e o rinoceronte são gordos, mal-humorados e vegetarianos.

- Cavalos queimam mais calorias — ou seja, perdem peso — quando estão deitados. Se resolvêssemos emagrecê-los, bastaria enviá-los para uma clínica de repouso. Isso é o sonho de muita gente, não é? Mas, infelizmente, essa característica é apenas dos cavalos.

- Coelhos morrem se ficarem de estômago vazio. Experimente nunca deixar seu estômago vazio. Depois, conte-me quantos quilos você engordou.

- Moscas batem as asas cerca de 200 vezes por minuto. Tanto exercício deveria deixá-las macérrimas. No entanto, elas estão aí, perturbando nossa paciência e no tamanho de sempre.

- O tubarão-baleia chega a medir 18 metros e a pesar 20 toneladas. Mas só come plâncton. Teoricamente, em vez de baleia, deveria ser uma sílfide. Mas ele foi "projetado" para ser daquele tamanho e nem mesmo sua dieta hipocalórica modifica essa verdade.

- Elefantes podem nadar 32 quilômetros por dia e correr 55 a 65 quilômetros por hora. Mas medem quatro a seis metros de altura e pesam em torno de seis toneladas — e os coitados são herbívoros, não comem gorduras ou doces. Emagrecer elefantes? Mas nem com a Dieta Nota 10. Nasceram enormes e assim morrerão.

- Outro que, apesar de herbívoro, é imenso: o bisão norte-americano. Mede até quatro metros de comprimento e pesa de meia a uma tonelada. No entanto, segue todos os meus conselhos: caminha bastante e come muita verdura. O que fazer se ele é assim?

- Depois do elefante, o maior mamífero terrestre é o rinoceronte. Esse realmente não conta com a sorte: a estrutura de seu focinho só permite que coma ervas. Apesar da dieta vegetariana, o rinoceronte não economiza tamanho: mede até quatro metros e pesa cerca de quatro toneladas

- O peso da baleia-azul varia entre 140 e 145 toneladas. Não é incomum medir 25 metros. Quem pensa que as baleias-azuis passam a vida comendo batatas fritas e torta de chocolate se enganou redondamente. Diariamente, comem meia tonelada de peixe, plâncton e vegetação marinha. Puxa, nada que engorda. Mas que destino cruel...

- Camundongos comem carboidratos — adoram grãos — de 15 a 20 vezes por dia. No entanto, não são gordos. Por favor, não siga essa dieta.

- Camelos chegam a beber 100 litros de água em 10 minutos. E não é que não há registro de camelos com estômago dilatado?

- Os leões pesam cerca de 320 quilos e, diariamente, comem até sete quilos de carne. Mas quem corre atrás da caça é a leoa. No entanto, apesar de preguiçosos, os leões são animais magníficos no porte e na força muscular.

- O hipopótamo dorme em pé, passa o dia "jiboiando" dentro da água e se alimenta durante a noite. Só come vegetais. No entanto, mede cinco metros e pesa quatro toneladas. É muito azar.

- Uma formiga trabalha o dia inteiro e carrega 50 vezes o peso dela. Mas você não precisa fazer tanto sacrifício para ser tão leve quanto ela.

Esses exemplos são apenas para lhe provar que seu corpo tem uma estrutura. Você não a modificará, não importa que dieta siga ou quanto exercício decida fazer.

A Dieta Nota 10 oferece uma alimentação equilibrada que o ajudará a manter a saúde perfeita e lhe devolverá o peso ideal. Mas o peso ideal do seu biotipo, aquele que respeita sua estrutura. Se um rinoceronte inventar de comer um bife, morrerá engasgado. Ele não foi projetado para isso. Imite o rinoceronte, que sabe direitinho o que pode e o que não pode levar à boca.

Como você comprovou aqui, ninguém muda o biotipo. Volto a dizer: ao modificar sua alimentação, sua principal preocupação deve ser a saúde. Além de perder peso, claro.

Agora que você já sabe como agir para se livrar do peso extra, que tal verificar quantos quilos a mais você carrega, atrapalhando seu visual e sobrecarregando seu coração, sua circulação, seus músculos, seus ossos. Enfim, seu corpo inteiro.

A equação é simples. Vamos supor que, no momento, seu peso é de 72 quilos e sua altura, 1,65m. Simplesmente, divida seu peso (72 quilos) pelo quadrado da sua altura (1,65 × 1,65):

$$1,65 \times 1,65 = 2.722$$
$$72 \div 2.722 = 26.451$$

SE O RESULTADO ALCANÇADO FOR:	
ATÉ 25	seu peso é normal
ENTRE 25 E 30	sobrepeso
ENTRE 30 E 35	obesidade
MAIS DE 35	obesidade mórbida

Agora, vamos calcular o seu peso ideal. Nessa conta, seu sexo também é importante. Vamos lá?

Ainda supondo que você tenha 1,65m e pese 72 quilos. Para começar, diminua 100 centímetros da sua altura. Como você já sabe, um metro tem 100 centímetros:

$$1,65m = 165cm$$
$$165cm - 100cm = 65cm$$

Do resultado (65cm) diminua 5%, se você é homem, e 10%, se mulher.

Exemplo:

Peso ideal para homens com 1,70m:
66 quilos e 500 gramas

Peso ideal para mulheres com 1,65m:
58 quilos e 500 gramas

Essa não é uma norma rígida, mas um parâmetro. Sua imagem no espelho, seu senso estético, sua necessidade de ser mais gordinho ou mais magrinho também contam. Por isso, tanto para homens quanto para mulheres é aceitável uma variação de até cinco quilos. Para mais ou para menos.

Em caso de dúvida, consulte o seu médico.

Agora, para comemorar a Dieta Nota 10, chame os amigos e faça um brinde ao resto da sua vida.

Uma taça de champanhe "custa" somente 60 notas.

Saúde! É isso que, junto com o prazer de se sentir bem com o seu corpo, o acompanhará para sempre.

> UM CACHORRO-QUENTE COM CATCHUP E MOSTARDA À VONTADE, UM SAQUINHO PEQUENO DE BATATAS FRITAS E REFRIGERANTE LIGHT CUSTAM **175 NOTAS**. NÃO VALE A PENA?

TABELA DE NOTAS

VERDURAS — 0 nota

Acelga, agrião, aipo, alcachofra, alface, almeirão, berinjela, brócolis, cebola, cebolinha, chicória, couve, couve-flor, escarola, espinafre, erva-doce, folhas de beterraba, jiló, mostarda, pepino, pimentão, rabanete, repolho, salsão e tomate.

PÃES E BOLACHAS — 30 notas

Pão de Centeio	1 fatia
Pão de Forma ou Torrada	1 fatia
Pão Francês	1/2 unidade
Pão de Glúten ou Torrada	1 fatia
Pão de Hambúrguer	1/2 unidade
Pão de Trigo Integral	1 fatia
Bolacha de Água e Sal (Cream-Cracker)	2 unidades
Bolacha de Maisena ou Maria	2 unidades
Pão Diet	1 e 1/2 fatia
Pão Árabe	1 pequeno

QUEIJOS — 60 notas

Queijo Camembert	1 fatia média (35g)
Queijo-de-Minas	1 fatia grande (50g)
Queijo Gorgonzola	1 fatia média (35g)
Queijo Gruyère	1 fatia média (30g)
Queijo Muzzarela	1 fatia média (30g)
Queijo Parmesão	1 fatia média (30g)
Queijo Prato	3 fatias finas (30g)
Queijo Provolone	1 fatia média (30g)
Requeijão	1 colher de sopa (35g)
Ricota	1 fatia grande (70g)
Cotage	2 colheres de sopa
Danúbio Light	2 fatias
Requeijão Light	2 colheres de sopa
Polenguinho	2 unidades

FRUTAS 25 notas

Abacate	2 colheres de sopa
Abacaxi	2 fatias médias
Suco de Abacaxi	1 copo (200ml)
Água de Coco	2 copos (400ml)
Ameixa Fresca	2 unidades
Ameixa Seca	2 unidades
Amora	1 pires de chá
Banana	1 média
Caju	1 médio
Caqui	1 pequeno
Cereja	4 pequenas
Damasco	1 médio
Figo Fresco	1 médio
Fruta-de-Conde	1 pires de sobremesa
Goiaba	1 média
Jabuticaba	1 pires de chá
Laranja	1 média
Suco de Laranja	1 copo pequeno (150ml)
Maçã	1 pequena
Mamão	1 fatia pequena
Maracujá	1 médio
Suco de Maracujá	1 copo (200ml)
Manga	1 média
Melão	1 fatia grande
Melancia	1 fatia grande
Morango	1 pires de chá
Passas	1/2 pires de chá
Pêra	1 média
Pêssego	1 grande
Tâmara	3 unidades
Tangerina	1 grande
Uva	1 cacho pequeno

TEMPEROS

Maionese	1 colher de sopa – 50 notas
Molho à Bolonhesa	1 colher de sopa – 25 notas
Molho de Gergelim	1 colher de sopa – 60 notas
Molho de Soja	1 colher de sopa – 15 notas

GRÃOS E FARINÁCEOS — 35 notas

Arroz Branco Cozido	2 colheres de sopa
Arroz Integral Cozido	2 colheres de sopa
Aveia	2 colheres de sopa
Batata	1 média
Batata-Doce	1 pequena
Cereais/Granola	2 colheres de sopa
Farelo de Arroz/Trigo	2 colheres de sopa
Farinhas em Geral	2 colheres de sopa
Farofa	1 colher de sopa
Feijão, Ervilha ou Lentilha	2 colheres de sopa
Flocos de Arroz/Milho	2 colheres de sopa
Gérmen de Trigo	1 1/2 colher de sopa
Grão-de-Bico	2 colheres de sopa
Inhame	1 médio
Macarrão Cozido	2 colheres de sopa
Maisena	2 colheres de sopa
Mandioca	1 pedaço pequeno
Mandioquinha	1 pequeno
Milho Verde	2 colheres de sopa
Nhoque	2 colheres de sopa
Panqueca	1 média
Purê de Batata	1 colher de sopa rasa
Ravióli/Lasanha	1 colher de sopa rasa
Soja	1 bife grande
Trigo Integral	2 colheres de sopa
Waffles/Crepes	1 unidade média

SOPAS

Caldo de Carne Concentrado	1 prato – 15 notas
Caldo de Galinha Concentrado	1 prato – 15 notas
Consomê de Carne	1 concha – 15 notas
Aspargos	1 concha – 45 notas
Creme de Aspargos	1 concha – 55 notas
Creme de Camarão	1 concha – 25 notas
Creme de Cebola	1 concha – 30 notas
Creme de Cogumelo	1 concha – 25 notas
Creme de Ervilhas	1 concha – 50 notas
Creme de Espinafre	1 concha – 40 notas
Feijão-Branco	1 concha – 50 notas
Tomate	1 concha – 25 notas
Vegetais Enlatados (Legumes)	1 concha – 55 notas
Vegetais Frescos	1 prato – 15 notas

GORDURAS 25 notas

Bacon	1/2 fatia fina
Creme de Leite	1 colher
Manteiga	1 colher de chá
Margarina	1 colher de chá
Óleo ou Azeite	1 colher de chá

BEBIDAS

Açaí	1 copo/200ml – 140 notas
Água de Coco	2 copos/400ml – 25 notas
Batidas	1 copo pequeno/150ml – 120 notas
Cerveja ou Chopp	1 copo/200ml – 45 notas
Coquetel de Frutas	1 copo/200ml – 80 notas
Gatorade	1 unidade – 40 notas
Groselha	1 copo/200ml – 35 notas
Licor	1 cálice/100ml – 85 notas
Martini	1 copo pequeno/150ml – 70 notas
Refrigerantes	1 copo/200ml – 40 notas
Suco de Frutas Concentrado	1 copo/200ml – 25 notas

Suco de Laranja	1 copo pequeno/130ml – 25 notas
Suco de Maçã Yacult	1 unidade – 40 notas
Suco de Vegetais Yacult	1 unidade – 20 notas
Vinho ou Vermute	1 copo/200ml – 60 notas
Todinho	105 notas
Uísque, Gim ou Vodca	1 dose/50ml – 60 notas
Yakult	1 unidade – 25 notas

CARNES — 50 notas

Atum Fresco	2 colheres
Atum em Conserva	2 colheres de sopa
Aves em Geral (Peito)	1 porção
Bacalhau	1 porção pequena
Camarão	1 pires de chá
Carne de Porco	1 porção pequena
Carne de Vaca (1 bife médio)	1 porção média
Carpaccio	1/2 porção
Feijoada	1/4 de concha
Fígado	1 bife médio
Frios Magros	4 fatias finas
Hambúrguer	1 pequeno
Lagosta	1 porção média
Lingüiça	1 pequena
Lula	1 pires de chá
Ostra, Mexilhão	5 médias
Ovo	2 unidades
Peixe em Conserva	1 porção pequena
Peixe Fresco	1 porção média
Presunto	3 fatias finas
Rosbife	3 fatias finas
Salame	1 porção pequena
Salsicha	2 médias
Sardinha em Conserva	1 unidade
Siri	1 pires de sobremesa
Strogonoff	1 e 1/2 concha
Sushi/Califórnia	4 unidades
Sashimi	10 unidades
Kani	8 unidades

PETISCOS

Damasco Seco	1 porção pequena – 25 notas
Acarajé	1 pequeno – 170 notas
Amêndoas	1 pires de café – 140 notas
Amendoim Torrado c/Sal	1 pires de café – 105 notas
Azeitona Preta	1 pires de café – 45 notas
Azeitona Verde	1 pires de café – 35 notas
Baconzitos, Cebolitos (Salgadinhos)	10 unidades – 70 notas
Batata Chips (Frita)	1 prato de sobremesa – 90 notas
Biscoito de Polvilho	5 unidades – 35 notas
Castanha-de-Caju	1 pires de chá – 125 notas
Caviar	1 colher de sobremesa – 25 notas
Cebolinha em Conserva	1 pires de chá – 15 notas
Coco Fresco (Carne)	1 pequeno – 150 notas
Croissant	1 médio – 75 notas
Coxinha	1 unidade – 90 notas
Empada	1 unidade – 90 notas
Esfiha	1 unidade – 100 notas
Fondue de Queijo	1/2 xícara – 130 notas
Quibe	1 unidade – 115 notas
Nozes	1 pires de café – 150 notas
Pão de Queijo (100g)	2 unidades médias – 85 notas
Pastel	1 unidade – 115 notas
Pasta de Fígado	1 colher de sopa – 35 notas
Picles	1 porção pequena – 15 notas
Pinhão Cozido	1 pires de chá – 90 notas
Pistache	1 pires de café – 140 notas
Pipoca	1 saquinho – 90 notas
Pizza	1 pedaço médio – 90 notas
Salmão Defumado	1 porção pequena – 90 notas
Semente de Abóbora	1 pires de chá – 120 notas
Empadão ou Suflê ou Quiche de Legumes	1 porção média – 55 notas
Empadão ou Suflê ou Quiche de Queijo ou Carne	1 porção média – 90 notas
Tremoço Cozido	1 pires de chá – 20 notas
Vatapá	1 concha pequena – 100 notas

LEGUMES | 15 notas

4 COLHERES DE SOPA

Aspargos, abóbora, abobrinha, alga-marinha, beterraba, broto de bambu, broto de feijão, cenoura, chuchu, cogumelo, ervilha, nabo, palmito, quiabo, vagem, raiz de bardana.

DIVERSOS

NOTAS = $\dfrac{\text{CALORIAS}}{2}$

MOLHOS = CONTA 1 PORÇÃO DO
         INGREDIENTE PRINCIPAL

FRITURAS ou À MILANESA = X 2

À VONTADE | 0 nota

Verduras, café, chá, mate, limonada, refrigerante (diet), gelatina (diet), balas e chicletes (diet), cebola, alho, pimenta, vinagre, limão, molho inglês, mostarda, ketchup.

DOCES

Açúcar	1 colher de sopa – 40 notas
Bala	1 unidade – 20 notas
Bolacha Recheada de Chocolate	3 unidades – 100 notas
Bolo Simples	1 fatia média – 140 notas
Bolo de Chocolate	1 fatia pequena – 105 notas
Bombom	1 unidade – 70 notas
Bomba de Creme	1 unidade – 130 notas
Brigadeiro	1 unidade – 50 notas
Chantilly	1 colher de sopa – 95 notas
Chiclete	1 unidade – 20 notas
Chocolate em Barra – 30g	1 unidade – 100 notas
Cocada	1 média – 125 notas
Doce de Leite	1 colher de sopa – 60 notas
Gelatina	1 taça – 40 notas

Geléia de Frutas	1 colher de sopa – 40 notas
Marmelada/Goiabada	1 fatia média – 40 notas
Mel	1 colher de sopa – 40 notas
Mousse pequena	1 pote – 120 notas
Pamonha	1 porção média – 130 notas
Pé-de-Moleque	1 pequeno – 75 notas
Pudim de Leite	1 fatia média – 115 notas
Quindim	1 unidade – 80 notas
Sonho	1 médio – 225 notas
Picolé de Frutas	1 unidade – 40 notas
Sorvete c/Leite	1 bola – 85 notas
Suspiro	2 pequenos – 40 notas
Achocolatados	1 colher de sopa – 35 notas
Torta de Maçã	1 fatia média – 170 notas
Torta de Morango	1 fatia média – 110 notas

SANDUÍCHES

Americano	1 unidade – 210 notas
Beirute/Big Bob/Big Mac	1 unidade – 280 notas
Cheese-Burger	1 unidade – 170 notas
Hambúrger – Simples	1 unidade – 140 notas
Hot-Dog	1 unidade – 85 notas
Misto Quente	1 unidade – 120 notas
Natural sem Maionese	1 unidade – 90 notas
Natural com Maionese (Light)	1 unidade – 120 notas

LEITE E DERIVADOS

Leite Integral	1 xícara/200ml – 70 notas
Leite Desnatado	1 xícara – 35 notas
Leite em Pó Integral	2 colheres de sopa – 70 notas
Leite em Pó Desnatado	2 colheres de sopa – 35 notas
Leite Condensado	2 colheres de sopa – 70 notas
Iogurte, Coalhada	1 copo/200ml – 70 notas
Iogurte Desnatado	1 pote – 35 notas

DIETÉTICOS

Achocolatados	1 colher de sopa – 20 notas
Chocolate	1 barra pequena – 70 notas
Iogurte de Frutas	1 unidade – 30 notas
Flan/Pudim	1 taça – 60 notas
Gelatina	1 taça – 0 nota
Geléia de Mocotó	1 taça – 45 notas
Geléia de Morango	2 colheres de sopa – 25 notas
Maionese	1 colher de sopa – 25 notas
Nutry (Barra de Cereais)	1 unidade pequena – 45 notas
Refrigerante	1 unidade pequena – 0 nota
Sorvete	1 taça – 40 notas
Refresco/Guaraná	0 nota
Pipoca	1 saquinho – 45 notas
Polenguinho Light	1 unidade – 15 notas

NÃO CUSTA LEMBRAR AOS CRÍTICOS DE PLANTÃO:
ESSES VALORES SÃO APROXIMADOS

Impresso no Brasil pelo
Sistema Cameron da Divisão Gráfica da
DISTRIBUIDORA RECORD DE SERVIÇOS DE IMPRENSA S.A.
Rua Argentina 171 – Rio de Janeiro, RJ – 20921-380 – Tel.: 2585-2000